Rhoswen
a'r eira

Rhoswen a'r eira

Nia Gruffydd

Argraffiad cyntaf: 2017
© Hawlfraint Nia Gruffydd a'r Lolfa Cyf., 2017

*Mae hawlfraint ar gynnwys y llyfr hwn ac mae'n anghyfreithlon
llungopïo neu atgynhyrchu unrhyw ran ohono trwy unrhyw ddull ac
at unrhyw bwrpas (ar wahân i adolygu) heb gytundeb ysgrifenedig y
cyhoeddwyr ymlaen llaw*

Cynllun y clawr: Richard Ceri Jones
Llun y clawr: Lisa Fox

Rhif Llyfr Rhyngwladol: 978 1 78461 460 7

Dymuna'r cyhoeddwyr gydnabod cymorth ariannol
Cyngor Llyfrau Cymru

Cyhoeddwyd ac argraffwyd yng Nghymru
ar bapur o goedwigoedd cynaliadwy gan
Y Lolfa Cyf., Talybont, Ceredigion SY24 5HE
e-bost ylolfa@ylolfa.com
gwefan www.ylolfa.com
ffôn 01970 832 304
ffacs 01970 832 782

Pennod Un

Roedd hi'n ganol gaeaf yng nghoedwig Maes y Mes, ac roedd Rhoswen y dylwythen deg yn swatio'n gynnes yn ei gwely yn ei thŷ yn y dderwen fawr. Wrth i'r cloc larwm ganu'n uchel dyma hi'n agor ei llygaid yn gysglyd, ac yna cododd ar ei heistedd yn syth.

"O!" meddai'n sydyn. "Mae hi mor olau! Dwi hyd yn oed yn gallu gweld y patrwm rhosod coch yn disgleirio'n llachar ar y llenni. Ond gaeaf yw hi, nid haf!"

Wrth gwrs! Sylweddolodd yn sydyn

beth oedd wedi digwydd yn ystod y nos, a neidiodd o'i gwely ac agor y llenni yn llawn cyffro. Rhoddodd wich fach wrth weld plu mawr o eira yn troelli yn yr awyr tu allan. Sbeciodd trwy'r ffenest, a gweld bod pentwr bychan o eira gwyn ar ben pob un o frigau'r goeden dderwen.

Roedd hi wedi cynhyrfu'n lân. Estynnodd am ei siwmper goch a gwisgodd bâr o drowsus melfed gwyrdd amdani. Gwnaeth yn siŵr ei bod yn rhoi dau bâr o sanau melyn am ei thraed er mwyn eu cadw'n gynnes. Roedd heddiw am fod yn hwyl!

Carlamodd i lawr y grisiau gan afael yn ei chôt las gynnes a'i hesgidiau glaw du. Gwthiodd ei gwallt hir coch

o dan het wlanog biws, cyn lapio sgarff liwgar dair gwaith o gwmpas ei gwddw. Agorodd y drws ffrynt yn llydan agored.

Ond am sioc!

"Be ar wyneb y ddaear?" gofynnodd Rhoswen mewn dychryn.

Roedd y goedwig a'r llwybr i lawr at afon Grisial wedi diflannu. Y cwbl a welai Rhoswen oedd wal o eira gwyn yn ei hwynebu. Roedd ei thŷ twt wedi ei gau i mewn yn gyfan gwbl gan yr eira trwm oedd wedi disgyn dros nos! Sut yn y byd mawr roedd hi am fynd allan?

Dechreuodd dyrchu trwy'r eira gan feddwl gwneud twll digon mawr iddi wasgu trwyddo, ond roedd cymaint ohono! Ymhen ychydig, roedd ei dwy law yn goch gan oerfel, a dim ond twll bychan roedd hi wedi llwyddo ei wneud. Roedd yn difaru nad oedd wedi gwisgo ei menig.

Yn waeth na dim, roedd twmpath bach o eira yn toddi'n bwll dŵr ar lawr glân y gegin.

Pennod Dau

Caeodd Rhoswen y drws yn glep mewn siom, ac eisteddodd yn ei chadair siglo i feddwl beth i'w wneud nesaf.

Fel arfer, roedd eira yn y goedwig yn gyfle gwych i bawb fynd allan i daflu peli eira at ei gilydd, a sglefrio ar afon Grisial os oedd y dŵr wedi rhewi. Ond roedd hyn yn wahanol. Roedd cymaint o eira wedi cwympo'n dawel dros nos fel ei bod hi'n sownd yn ei thŷ ac yn methu mynd allan o gwbl!

Un dda oedd Rhoswen am gadw'i phen pan oedd pethau'n mynd o

chwith. Meddyliodd mai'r peth gorau i'w wneud fyddai rhoi mwy o goed ar y stof i gadw'n gynnes, ac yna gwneud paned o de llysiau iddi hi ei hun.

Wrth i'r tegell ferwi'n braf ar ben y stof, meddyliodd y byddai tôst a menyn, a jam cyrens duon yn dew arno, yn flasus iawn hefyd. Roedd meddwl am hynny'n ddigon i ddod â dŵr i'w dannedd ac agorodd y cwpwrdd wal i estyn am y bara a'r jam.

Ond am siom!

Roedd y silffoedd yn wag, a'r unig beth a welai Rhoswen oedd potyn jam gwag ac ychydig bach o bicl afal a mwyar mewn potyn arall, a wnaeth o lwyni'r goedwig yn yr hydref.

"Dyna dwp ydw i!" meddyliodd yn uchel. "Dyna oeddwn i am ei wneud heddiw. Mynd i nôl rhagor o fwyd o Siop Tan yr Onnen."

Gafaelodd yn y potyn picl afal a mwyar.

"O diar! Dwi mewn picl go iawn. Does 'na ddim bwyd yn y tŷ!"

Teimlai'n llwglyd wrth feddwl am y tôst brown a'r menyn yn toddi arno, a chlywodd ei stumog yn gwneud sŵn. Oedd unrhyw fwyd arall yn y tŷ?

Penderfynodd agor pob un cwpwrdd yn y gegin a rhoi'r holl fwyd oedd ganddi ar y bwrdd o'i blaen.

"O diar," meddyliodd Rhoswen wrth weld cyn lleied oedd arno. "Tydi hynna ddim yn llawer!"

Dwy daten, un foronen, potel o ddiod felys, llond powlen o gnau a hanner teisen gyrens.

Os oedd yr eira am barhau i ddisgyn, doedd wybod pryd y gallai fentro allan o'i chartref. Nid oedd digon o fwyd ganddi am heddiw, heb sôn am yfory a'r diwrnod wedyn! Gan dorri sleisen anferth o'r deisen gyrens iddi hi ei hun, tynnodd ei het a'i hesgidiau glaw ac eisteddodd yn ei chadair siglo i feddwl sut yn y byd roedd hi am gyrraedd Siop Tan yr Onnen.

Pennod Tri

Yn anffodus i Rhoswen, roedd meddwl yn ei gwneud hi'n hynod o lwglyd, a chyn iddi sylweddoli roedd hi wedi gorffen pob briwsionyn o'r deisen gyrens.

"O na," meddai'n ddigalon. "Mae gen i lai fyth o fwyd rŵan."

Ond roedd y deisen gyrens wedi bod yn sobor o flasus, ac wedi gwneud lles iddi. Roedd Rhoswen wedi cael syniad campus, a llamodd i fyny'r grisiau i'w llofft gyda'i basged siopa ac agor y ffenest led y pen. Roedd y plu eira'n dal i droelli'n araf yn yr awyr, ond doedd dim cymaint ohonynt erbyn hyn, ac yn awr gallai Rhoswen weld bod pob coeden yn y goedwig wedi ei gorchuddio hyd at ei hanner gan eira.

Daeth o hyd i ddarn o bapur a phensel ac ysgrifennodd mewn llythrennau bras:

DIM BWYD YN Y TŶ!
ANGEN HELP
OS GWELWCH YN DDA!

Rhoddodd y nodyn yn sownd ar y fasged a thynnodd ei sgarff bob lliw a'i chlymu'n sownd wrth ei handlen. Gollyngodd y fasged drwy'r ffenest a chlymodd ben arall y sgarff yn nolen y ffenest.

"Dyna ni," meddyliodd Rhoswen. "Bydd rhywun yn siŵr o'i weld, a llenwi'r fasged gyda bwyd i mi."

Aeth i lawr y grisiau yn teimlo'n hapus ei bod wedi cael syniad ardderchog unwaith eto. Dathlodd drwy fwyta'r cnau i gyd ac yfed y ddiod felys, ac yna eisteddodd o flaen y stof er mwyn i'w thraed gynhesu'n braf.

Dechreuodd feddwl am yr holl fwyd hyfryd a fyddai'n ei disgwyl pan fyddai'n mynd i estyn ei basged cyn bo hir.

Ond yna sylweddolodd rywbeth ofnadwy.

Os oedd hi wedi ei chau i mewn gan yr eira, byddai holl dylwyth teg eraill y goedwig yn sownd yn eu tai hefyd. Efallai nad oedd ganddyn nhw fwyd chwaith! Ac os oedd hynny'n wir, fyddai neb yn gallu ei helpu drwy roi bwyd blasus yn ei basged!

Pennod Pedwar

Roedd Rhoswen wedi dyfalu'n gywir.

Am yr ail waith y bore hwnnw, dringodd y grisiau i'w llofft, a chydio yn ei sgarff bob lliw a dechrau tynnu. Pan afaelodd yn ei basged, gwelodd ei bod yn hollol wag, ond roedd y neges frys wedi diflannu.

Suddodd calon Rhoswen. Roedd yn rhaid iddi feddwl am syniad arall, a hynny ar frys! Teimlai'n llwglyd unwaith eto, a chofiodd mai dim ond dwy daten, un foronen a gweddill y picl afal a mwyar oedd ganddi ar ôl yn y tŷ.

Meddyliodd am Siop Tan yr Onnen ac am y bwyd hyfryd oedd yno.

Melysion streipiog coch a melyn,

taffi brown yn y jariau,

bara blasus,

caws meddal,

madarch ffres o'r goedwig,

jam cyrens duon,

teisennau bach,

potiau o fêl gan wenyn y llannerch.

"Mmm, hyfryd!" meddai'n uchel.

Ond yna daeth syniad brawychus arall i'w meddwl.

Os oedd pob coeden yn y goedwig wedi ei chladdu hyd at ei hanner gan drwch o eira, byddai'n amhosib gwneud neges yn Siop Tan yr Onnen.

Fyddai neb yn gallu mynd i mewn trwy'r drws!

Teimlai'n hollol ddigalon. Roedd y diwrnod braf llawn hwyl gyda'i ffrindiau yn yr eira wedi troi'n ddiwrnod diflas iawn.

Penderfynodd Rhoswen mai'r peth gorau i'w wneud oedd dringo i'w gwely bach unwaith yn rhagor, a chodi'r cwilt plu dros ei phen.

Wrth iddi bwdu yn ei gwely, clywodd Rhoswen y sŵn mwyaf ofnadwy a glywodd erioed. Roedd fel petai ei chartref cyfan yn cael ei ysgwyd gan fwystfil mawr oedd yn gwneud sŵn rhuo a chwyrnu erchyll. Teimlai ei gwely bach yn crynu oddi tani a chlywai sŵn llestri'r gegin yn clincian wrth daro yn erbyn ei gilydd ar y silff.

Pennod Pump

Roedd Rhoswen yn methu symud gan fod cymaint o ofn arni. Doedd hi ddim yn gwybod beth i'w wneud nesaf, a dechreuodd grynu.

"O, na!" meddai. "Dwi'n meddwl bod yr eira am 'sgubo pob coeden ym Maes y Mes i lawr i afon Grisial! Help!"

Ond yna, llanwyd y tŷ derwen â sŵn cnocio mawr. Gwrandawodd Rhoswen yn syn, a daeth y sŵn cnocio unwaith yn rhagor.

Cnoc, cnoc.

Cnoc, cnoc.

Ie, dyna yn bendant oedd o. Sŵn rhywun yn cnocio ar ddrws ei thŷ. Roedd hyn yn amhosib, meddyliodd. Allai neb fod wrth y drws a hwnnw'n llawn hyd y top gan eira!

Daeth y sŵn cnocio eto, yn uwch hyd yn oed na'r tro cyntaf. Llamodd Rhoswen o'i gwely ac i lawr y grisiau, ac arhosodd am eiliad o flaen y drws yn pendroni beth i'w wneud.

Doedd ond un peth i'w wneud. Penderfynodd fod yn ddewr, ac yn araf bach, cilagorodd ei drws ffrynt.

Dyna pryd y gwelodd siâp trwyn main, pinc yn dod i'r golwg.

Ac yna, yn dilyn y trwyn, dwy bawen fach binc.

Yna camodd corff mawr melfedaidd

du i mewn i'r gegin, a chraffodd dwy lygad fel botymau bach du arni.

"Parddu'r twrch daear!" gwaeddodd Rhoswen. "Be wyt ti yn ei wneud fan hyn?"

"Meddwl y byddet ti angen ychydig o help llaw," meddai Parddu, yn ei lais gwichlyd, uchel.

"Sut oeddet ti'n gwybod 'mod i mewn trwbwl?" holodd Rhoswen.

"Gwelodd teulu'r Robin Goch dy neges di yn y fasged a dod i chwilio amdana i. Mae pawb yng nghoedwig Maes y Mes yn sownd yn eu tai, ac yn methu mynd i unman."

"O, Parddu, rwyt ti wedi bod yn brysur yn cloddio twnnel!" atebodd Rhoswen yn gyffrous, gan edrych ar y twnnel tywyll oedd bellach yn arwain drwy'r eira o'i chartref. Ond arwain i ble tybed?

Cyn iddi gael cyfle i holi Parddu, roedd y twrch daear wedi troi yn ei unfan a'i fryd ar ddiflannu eto i lawr y twnnel.

"Parddu! Aros amdana i!" gwaeddodd ar ei ôl, wrth wisgo ei sgidiau glaw amdani.

"Brysia! Dwi'n rhewi!" atebodd Parddu. "Mae'n gas gen i'r eira. Mae'n rhy oer!"

Roedd Rhoswen ar fin dilyn Parddu pan gofiodd y byddai'n rhaid iddi fynd â rhywbeth pwysig iawn gyda hi os oedd hi am ddod o hyd i'r twrch bach eto!

Aeth i nôl llusern a'i goleuo, ac yn ofalus, ac yn ofnus braidd, mentrodd Rhoswen i lawr y twnnel â'i waliau rhew.

Pennod Chwech

Roedd yn brofiad rhyfedd cerdded i lawr twnnel wedi ei wneud o eira. Roedd hi mor dawel, a dim ond yr eira'n gwneud sŵn crensian o dan ei thraed. A byddai'n hollol dywyll heblaw am olau'r llusern.

Cyn bo hir daeth Rhoswen at fforch yn y twnnel a phenderfynodd ddilyn y llwybr i'r chwith.

Ymhen ychydig, daeth at ddrws bychan coch gyda chloch aur yn hongian o'i flaen. Roedd hi'n gyfarwydd â'r drws hwn!

Cyn iddi gael cyfle i ganu'r gloch,

agorodd y drws a daeth ei ffrind Mwyaren i'r golwg, wedi cyffroi'n lân. Sgrechiodd y ddwy yn hapus wrth weld ei gilydd.

"Rydan ni'n mynd i gael cymaint o hwyl!" gwaeddodd Rhoswen.

"Dwi erioed wedi bod mewn twnnel eira o'r blaen!" atebodd Mwyaren, a chyn pen dim roedd y ddwy wedi cychwyn yn ôl ar hyd y twnnel, fraich ym mraich.

Ymhen ychydig, gwelodd y ddwy olau'n dod i'w cyfeiriad. Roedd rhywun arall wedi cael y syniad o gario llusern, ac wrth i'r golau ddod yn nes, pwy oedd yno ond eu ffrind Celyn, yn cario basged fawr ar ei fraich.

"Mae Parddu wedi gwneud twnnel sy'n arwain i bobman," meddai'n hapus. "Dwi newydd fod yn Siop Tan yr Onnen. Sbïwch!"

Ac roedd o'n dweud y gwir. Roedd ei fasged yn llawn bwyd hyfryd o bob math.

Wrth weld Rhoswen yn edrych yn awchus ar gynnwys y fasged, dywedodd Celyn yn sydyn, "Be am gael parti? Pawb i fy nhŷ i!"

Erbyn hyn roedd criw arall o dylwyth teg wedi cyrraedd, a chlywodd pawb y gwahoddiad i dŷ Celyn.

Aeth Rhoswen a Mwyaren yn syth i chwilio am Brwynwen a Briallen, a chyn pen dim roedd tŷ Celyn yn orlawn a phawb yn gynnes braf o flaen tanllwyth o dân, yn estyn am fara a chaws, marmalêd melys, llwythi o deisennau sinamon a chwstard, a diod aeron coch.

Am wythnos gyfan wedyn, bu pawb yn cerdded yn ôl ac ymlaen ar hyd y twneli i dai ei gilydd, gan aros i gael swper mewn tŷ gwahanol bob nos.

Yn ystod y dydd, doedd dim yn well gan bawb na chael hwyl yn cerdded ar hyd y twneli driphlith draphlith, ac edrych ymlaen at weld pwy oedd yn dod i'w cyfarfod yn cario llusern, a chael hwyl yn ceisio dyfalu pwy oedd yno trwy weiddi eu henwau!

Pennod Saith

Roedd pawb ym Maes y Mes wedi cael hwyl eithriadol yn y twneli eira am dros wythnos, ac wedi blino'n lân ar ôl yr holl bartïon. Roedd tylwyth teg y goedwig yn rhai campus am gael hwyl, a thrwy gydol yr wythnos roedd sŵn canu a miwsig i'w glywed bob nos dan y carped eira.

Roedd Parddu wedi diflannu ers dyfodiad yr eira, i chwilio am gartref cynhesach o dan y ddaear. Roedd Rhoswen eisiau casglu llond sach o fwsog meddal iddo wneud gwely clyd, ond doedd dim syniad ganddi pryd y byddai'n ei weld eto uwchben y ddaear! Penderfynodd Rhoswen alw yn Siop Tan yr Onnen i brynu pentwr mawr o gnau i deulu'r Robin am eu help yn cario'r neges frys i Parddu. Aeth allan unwaith yn rhagor yn ei hesgidiau glaw du a'i het a'i sgarff gynnes, ond heddiw roedd pethau'n teimlo'n wahanol.

"Mae hi'n teimlo'n llawer oerach heddiw," crynodd Rhoswen.

Yn anffodus roedd gwreiddyn tew hen goeden sycamorwydden yn cuddio yn yr eira o dan ei thraed. Cyn iddi gael cyfle i'w weld, roedd wedi baglu drosto, a disgynnodd yn bendramwnwgl ar y llawr. Llithrodd y llusern o'i gafael gan daro'r ddaear yn galed. Diffoddodd y golau gloyw yn syth.

"O na!" gwaeddodd Rhoswen mewn dychryn, ond doedd dim rhaid iddi boeni. Roedd hi'n olau yn y twnnel, ac roedd Rhoswen yn gallu gweld fel petai'n olau dydd.

Trodd ar ei chefn ac edrych i fyny, a gweld mai dim ond darn o rew tenau oedd to'r twnnel, ac yna syrthiodd diferyn o ddŵr ar ei thrwyn.

Ac un arall.

Ac un arall.

Wrth gwrs, meddyliodd Rhoswen, dim ond un peth allai hynny ei olygu.

Roedd yr eira'n dechrau toddi'n gyflym!

Cyn bo hir, roedd darnau o do'r twnnel wedi diferu ar y llawr gan adael tyllau o awyr las uwchben.

O fewn diwrnod neu ddau, trodd y twneli yn waliau tenau o eira ac yna dechreuodd gwaelodion y coed ddod i'r golwg, gan olygu bod pawb yn gallu gweld coedwig Maes y Mes unwaith eto.

Nid oedd Rhoswen na thylwyth teg eraill y goedwig wedi cael wythnos debyg erioed o'r blaen, a bu sôn am amser hir am yr hwyl a gafodd pawb yn cerdded ar hyd y twneli eira, a'r sbri a gafodd pawb yn cael partïon yn nhai ei gilydd adeg yr eira mawr. Diolch i waith caled Parddu'r twrch daear!

GEIRFA

anffodus – *unfortunately*

Briallen – *Primrose*

Brwynwen – *Reedwhite*

campus – *excellent*

carlamodd – *galloped*

Celyn – *Holly*

cilagorodd – *opened slightly*

cloddio – *dig*

derwen – *oak*

difaru – *regret*

diferu – *drip*

driphlith draphlith – *all over the place/ higgledy-piggledy*

dyfalu – *guess*

Grisial – *Crystal (the river)*

gwenyn – *bees*

gwreiddyn – *root*

llusern – *lantern*

lluwch – *snow-drift*

maes – *meadow*

melysion – *sweets*

mes – *acorns*

mwsog – *moss*

mwyar/mwyar duon – *blackberries*

Mwyaren – *Blackberry*

onnen – *ash (tree)*

Parddu – *Soot*

pendramwnwgl – *headlong*

plu eira – *snowflakes*

Rhoswen – *Rosewhite*

twmpath – *mound*

twrch daear – *mole*

Maes y Mes
Mwyaren a'r lleidr

Nia Gruffydd

y Lolfa

£3.99

Am restr gyflawn o lyfrau'r Lolfa, mynnwch
gopi am ddim o'n catalog
neu hwyliwch i mewn i'n gwefan

www.ylolfa.com

lle gallwch archebu llyfrau ar-lein.

TALYBONT CEREDIGION CYMRU SY24 5HE
ebost ylolfa@ylolfa.com
gwefan www.ylolfa.com
ffôn 01970 832 304
ffacs 832 782